发现最棒的自己

与众不同的梅拉

王坤／著　马亮　肖铮／图

在非洲一片温暖而松软的草原上，生活着长颈鹿梅拉和她的动物伙伴们。

梅拉的个子高极了，她可以轻松吃到金合欢树上的树芽和新鲜嫩叶。

这天，梅拉看到老橡树下热闹非凡，原来是小伙伴们在跳皮筋，她走过去问：“能让我和你们一起玩吗？”热情的小羚羊帕吉把自己脖子上套的皮筋摘下来，递给了梅拉。

梅拉高兴地将皮筋套在自己的脖子上，小伙伴们都想够到皮筋的新高度，可无论大家怎么努力，都碰不到皮筋。小朋友们谁都没有说什么，可梅拉分明看出了她们眼中的失落。

梅拉看到长脖子给伙伴们造成了不便，她感到很过意不去，于是对小羚羊说：“帕吉，妈妈不让我在外面呆太久。”然后把皮筋还给了小羚羊，自己落寞地离开了。

梅拉走着走着，隐约听到水塘边传来阵阵嘶吼声，她好奇地走近水塘，想看个究竟。犀牛丹妮热情地邀请她一起来参加“大嗓门比赛”。

梅拉的出现，让参赛的小动物们不约而同地望向她，大家纷纷猜测：“瞧她的脖子那么长，发出的声音一定特响亮，”“没错，她的嗓门肯定象她的个子一样高，”“看来冠军非她莫属了。”

梅拉说话从来都是轻声细气的，丹妮的邀请让她有些犹豫。但看到大伙期待的目光，她还是决定鼓足勇气，亮一亮嗓门。

梅拉尝试着调整好站姿，憋足一口气，然后敞开喉咙大叫。可大伙只听到了她发出的像小牛一样“哞哞”的低缓叫声。这出人意料的结果，让大家忍俊不止。

一头途经的年迈大象，遗憾地摇着头对梅拉说：“唉，可怜的孩子，你不知道吗？长颈鹿由于脖子太长，声带早已退化了，根本发不出嘹亮的声音。”

大伙望着深受打击的梅拉，谁都没有嘲笑她。可梅拉分明读懂了伙伴们眼中的同情。走在回家的路上，梅拉垂头丧气地想：“自己的长脖子真是既招摇又没用呀。”

接下来的日子，梅拉宁可一个人守在家里，无精打采地摆弄玩具，也不愿出去找小朋友一起玩。

这天，森林里要举办一年一度的越野比赛。届时，所有的小动物们都会去观看比赛，梅拉也在妈妈的敦促声中，磨磨蹭蹭地向赛场走去。

比赛现场位于森林中一片开阔的草地上，几株巨人似的老榕树挺立在赛场旁，浓密的枝叶被微风吹得沙沙作响，好像迫不及待地要为参赛选手们呐喊助威。

参加这次比赛的队员有疣猪、狮子、猎豹和斑马，他们个个信心百倍，期待能在比赛中一显身手。

当大象发令官发出开赛指令后，选手们立刻在跑道上飞奔起来。最初大家你拥我挤，不分胜负，渐渐地猎豹显示出优势。

小狮子杰克看到妈妈落在了后面，他焦急地爬到离赛场最近的一株老榕树上，给妈妈加油助威。随着妈妈和选手们跑远，他为了观看比赛，也在不知不觉中越爬越高。

狮子妈妈听到了儿子的加油声，她奋起直追，明显加快了速度，超过了一个又一个选手，在接近终点时，她猛地一跃，终于抢先撞线，赢得了比赛的胜利。

观众们纷纷拥上前来，祝贺她取得了冠军。可狮子妈妈却没有在人群中看到儿子杰克的身影。

“我在这儿呢，救救我！”一声微弱的声音从老榕树的树冠上传来。原来杰克被困在树上了。小猴子自告奋勇，上树去救杰克。

正当大家期待小狮子杰克获救的时候，忽听耳边传来树枝的折断声，紧接着小猴子从树上摔了下来。他揉着跌痛的屁股说：“上面的树杈太细了，我实在没办法。”狮子妈妈听后，急得手足无措。

这时，一旁的梅拉走上前，怯怯地说：“让我来试试吧。”她循着声音找准小狮子的位置，然后不停地向上抻着脖子，这是她头一次希望自己的脖子长些、再长些。

终于，小狮子杰克得救了，他顺着梅拉的长脖子安全地滑了下来。大家情不自禁地向梅拉发出了阵阵赞许声。梅拉羞涩地笑了，她的长脖子原来有着得天独厚的优势呢。